D1261099

alkalische Diät & entzündungshemmend e Diät

50 schnelle, einfache und köstliche Rezepte

Alba Schmidt

Alle Rechte vorbehalten.

Haftungsausschluss

Die enthaltenen Informationen sollen als umfassende Sammlung von Strategien dienen, über die der Autor dieses eBooks recherchiert hat. Zusammenfassungen, Strategien, Tipps und Tricks sind nur Empfehlungen des Autors. Das Lesen dieses eBooks garantiert nicht, dass die Ergebnisse genau den Ergebnissen des Autors entsprechen. Der Autor des eBooks hat alle zumutbaren Anstrengungen unternommen, um den Lesern des eBooks aktuelle und genaue Informationen zur Verfügung zu stellen. Der Autor und seine Mitarbeiter haften nicht für unbeabsichtigte Fehler oder Auslassungen. Das Material im eBook kann Informationen von Dritten enthalten. Materialien von Drittanbietern bestehen aus Meinungen, die von ihren Eigentümern geäußert wurden. Daher übernimmt der Autor des eBooks keine Verantwortung oder Haftung für Material oder Meinungen Dritter.

Das eBook unterliegt dem Copyright © 2021, alle Rechte vorbehalten. Es ist illegal, dieses eBook ganz oder teilweise weiterzugeben, zu kopieren oder abgeleitete Werke daraus zu erstellen. Ohne die ausdrückliche und unterschriebene schriftliche Genehmigung des Autors dürfen keine Teile dieses Berichts in irgendeiner Form reproduziert oder erneut übertragen werden

INHALTSVERZEICHNIS

EINFÜHRUNG

Abgeleitet von der "Alkalität" (Fähigkeit von Substanzen, Säure zu binden oder zu neutralisieren) wurde die alkalische Diät oder "A-Linie-Diät" von der Ernährungstherapeutin Vicki Edgson und der Köchin Natasha Corrett entwickelt und basiert auf sogenannten alkalischen oder basischen Lebensmittel. Die alkalische Ernährung sollte - ähnlich wie das alkalische Fasten - nicht nur zu Gewichtsverlust führen, sondern auch Krankheiten wie Depressionen, Herzerkrankungen, Osteoporose und sogar Krebs vorbeugen.

Die Idee hinter dem Konzept: Edgson und Corrett gehen davon aus, dass ein übersäuerter Körper zum Nährboden für Bakterien wird, wichtige Nährstoffe schneller verbraucht und somit schneller krank wird. Der Magen-Darm-Trakt ist auch sehr anspruchsvoll, wenn es um die Verdauung von sauren Lebensmitteln geht. Der minimale Verzehr oder sogar die Vermeidung von säurebildenden Lebensmitteln sollte den pH-Wert des Körpers regulieren und sich positiv auf unsere Gesundheit auswirken.

Säurenahrungsmittel enthalten:

- Schweinefleisch und Rindfleisch
- Eier
- weißer Zucker
- Weißmehlprodukte
- Milchprodukte

- Kaffee
- Alkohol
- Cola
- Pasta
- Fastfood
- Gebraten
- Kichererbsen
- Walnüsse
- Tee

Sie sollten diese sauren Lebensmittel in der alkalischen Ernährung vernachlässigen. Die alkalische Diät ist eher eine Ernährungsumstellung als eine klassische Diät, bei der man einfach weniger isst. Aber welche Lebensmittel sind erlaubt?

Alkalische Diät

Alkalische Lebensmittel: Die alkalische Ernährung ist hauptsächlich grün.

Alkalische Ernährung: Welche Lebensmittel sind erlaubt?

Während saure Lebensmittel den Körper angeblich übersäuern und ihn so zu einem Nährboden für Krankheiten machen, wirken andere Naturstoffe alkalisch und bilden die Grundlage für einen gesunden Körper. Laut Edgson und Corrett sollte die Gewichtung für maximalen Gesundheitserfolg mit der alkalischen Diät bei etwa 70 Prozent basischen und nur 30 Prozent sauren Lebensmitteln gehalten werden. Aber welche

Lebensmittel fördern eine alkalische Ernährung nach
der alkalischen Ernährung?

GRUNDLEGENDE LEBENSMITTEL ENTHALTEN:

- Obst
- Gemüse
- Sojaprodukte
- Süßkartoffel
- Mandeln
- Oliven
- Wildreis
- Grünkohl
- Brokkoli
- Zitronen
- Stilles Wasser

Die Einstufung von Lebensmitteln als sauer oder basisch
ist nach dem alkalischen Konzept nicht immer einfach.
Zum Beispiel ist Spinat roh alkalisch, aber gekocht
sauer. Um einen genauen Überblick zu erhalten, sollten
Sie sich über die alkalische Ernährung und das
grundlegende Kochen informieren - hier gibt es keine
störende Zählung von Punkten oder Kalorien.

Entgiften Sie den Körper und verlieren Sie gleichzeitig
Gewicht: Dies ist die 7-tägige Entgiftungskur

Entgiften Sie den Körper und verlieren Sie gleichzeitig
Gewicht: Dies ist die 7-tägige Entgiftungskur

Tut die alkalische Diät das, was sie verspricht?

Nach Ansicht einiger Gesundheitsexperten hat die alkalische Ernährung nach der alkalischen Ernährung jedoch nur einen rudimentären Einfluss auf den pH-Wert des Körpers - sie reguliert sich selbst. In der Tat sind die Auswirkungen auf den pH-Wert des Körpers das, was diesen Ernährungstrend gesund machen sollte, nicht bewiesen. Ebenso gibt es keine wissenschaftliche Forschung, die zeigt, dass eine hauptsächlich alkalische Ernährung Krankheiten vorbeugen kann. Nur im Urin kann man eine Veränderung feststellen, die zumindest Nierensteine verhindern kann.

Hinweis: Sind Sie Diabetiker oder haben Sie Probleme mit der Nieren? Dann sollten Sie mit der alkalischen Ernährung vorsichtig sein und Ihre Ernährung nur in Absprache mit Ihrem Arzt drastisch ändern.

Nicht alle Lebensmittel sind gleich. Wenn Sie abnehmen möchten, müssen Sie die richtigen Mahlzeiten zu sich nehmen. Sie werden mit diesen Produkten definitiv Erfolg haben!

APFEL- UND KAROTTENMUFFINE

Portionen: 8

ZUTATEN

- 100 g Apfel
- 100 g Karotte
- 100 g Buttermilch
- 100 g Hirsemehl
- 40 g Rosinen oder Preiselbeeren
- 20 g Samen, gehackt (Kürbiskerne, Sonnenblumenkerne usw.) oder Nüsse
- 2 EL Flocken, (Chuffas Nüssli) falls vorhanden
- $\frac{1}{2}$ TL Zimt Pulver
- n. B. B. Koriander nach Geschmack
- 1 Teelöffel Tartar Backpulver

VORBEREITUNG

Äpfel und Karotten fein reiben. Fügen Sie die Buttermilch, Nüsse und Gewürze hinzu. Dann das Mehl mit dem Backpulver hinzufügen und umrühren. Den Teig auf 8 Muffinformen (Silikon oder ein gefettetes Tablett) verteilen. Bei 180 Grad ca. 15-20 Minuten. Dann legen Sie die Form auf ein feuchtes Küchentuch und lassen Sie es abkühlen. Dann nehmen Sie es aus der Form.

Tomatenkraut

Portionen: 4

ZUTATEN

- 500 g Weißkohl (Weißkohl)
- 1 m große Zwiebel (Substantiv)
- 2 m große Tomaten)
- 2 EL   Tomatenmark
- 1 Schuss   Rapsöl
- 100 ml Gemüsebrühe oder mehr
- 1 Teelöffel   Basilikum, getrocknet
- 1 Prise (n)   Pfeffer
- 1 Prise (n)   Cayenne Pfeffer
- 2 Preise   Thymian, (quendel)
- 1 Prise (n)   Salz-

VORBEREITUNG

Den Weißkohl in feine Streifen schneiden oder schneiden. Die Zwiebel in kleine Würfel schneiden. Tomaten schälen und in kleine Würfel schneiden.

Das Öl in einer großen Pfanne oder einem Topf erhitzen und die Zwiebel darin anschwitzen. Gießen Sie den gesamten Kohl ein, decken Sie ihn mit einem Deckel ab und kochen Sie ihn, bis er durchscheinend ist. Geröstete Aromen können entstehen, dürfen aber nicht verbrennen. Immer wieder umrühren und dann den Deckel aufsetzen.

Tomaten, Tomatenmark und Brühe hinzufügen und gut umrühren. Reduzieren Sie die Hitze und fügen Sie die Gewürze nach Geschmack hinzu. Bei Bedarf Wasser oder Brühe hinzufügen. Kochen lassen, bis die gewünschte Festigkeit erreicht ist. Salz und nach Bedarf servieren.

SAVOY CABBAGE MIT GRÜNER KOKOSNUSS-SAUCE

Portionen: 3

ZUTATEN

- 300 g Wirsing
- 300 ml Kokosmilch, cremig
- 6 TL, gehäuft Curry Paste, grün
- 1 Prise (n)   Salz-

VORBEREITUNG

Den Wirsing in Streifen schneiden oder in Scheiben schneiden. Mischen Sie die Kokosmilch mit der Curry-Paste in einem Topf, bis sie glatt ist. Dann den Wirsing hinzufügen, umrühren und zum Kochen bringen. Dann bei geschlossenem Deckel bei niedriger Temperatur leicht köcheln lassen, bis die gewünschte Festigkeit erreicht ist. Gelegentlich umrühren. Schließlich können Sie Salz hinzufügen, wie Sie möchten.

Sie können den Wirsing als Beilage oder, wie ich, als Hauptgericht essen.

ROTER FRUCHTSCHÜTTEL

Portionen: 2

ZUTATEN

- 200 ml Kokosmilch
- 200 ml Milch (Reismilch)
- Banane (n), weich oder braun
- 200 g Beeren, gemischt, gefroren mit Blaubeeren, Himbeeren und Johannisbeeren

VORBEREITUNG

Alles zusammen so kalt wie möglich im Mixer pürieren.

Die Reismilch und die Banane machen es leicht, ohne Zucker auszukommen.

CURRY HERB

Portionen: 2

ZUTATEN

- ¼ kl. Kopf   Weißkohl
- 1 EL   Öl
- 100 ml Kokosmilch
- 50 ml Wasser
- 2 cm   Curry Paste, gelb oder mehr je nach Geschmack
- 1 Teelöffel Salz
- Etwas Kümmel oder Kreuzkümmel
- Etwas Pfeffer

VORBEREITUNG

Den Weißkohl fein schneiden. Mischen Sie Kokosmilch mit Wasser und Curry-Paste, bis sie glatt sind. Das Öl in einer Pfanne erhitzen, den Kohl einige Minuten braten, mit Salz abschmecken und mit der

Kokosmilchmischung ablöschen. Weiter kochen, bis die gewünschte Festigkeit erreicht ist.

"NATÜRLICHE" PAPRIKA-SUPPE

Portionen: 4

ZUTATEN

- 1 Schuss   Öl, zB B. Rapsöl
- 4 groß Spitzpfeffer, rot
- 1 m.-groß   Zwiebel (n), rot
- 500 ml Gemüsebrühe

VORBEREITUNG

Paprika waschen, entkernen und in kleine Stücke schneiden. Die Zwiebel in kleine Würfel schneiden.

Das Öl in einem Topf erhitzen und die Zwiebeln durchscheinend werden lassen. Fügen Sie die Pfefferwürfel auf einmal hinzu und lassen Sie sie unter Rühren schwitzen. Gemüsebrühe einfüllen und köcheln lassen, bis die Paprikaschoten weich sind. Mit einem Mixer pürieren.

Ohne die Zugabe anderer Kräuter kommt der feine Paprikageschmack voll zur Geltung.

KRÄUTER LEICHT HEISS

Portionen: 2

ZUTATEN

- 1 Schuss   Rapsöl
- 2 m.-groß   Zwiebel (Substantiv)
- 500 g Weißkohl
- 1 m.-groß   Peperoni, rot
- 1 groß Rote Paprika)
- Salz oder granulierte Brühe

VORBEREITUNG

Die Zwiebeln in einer Küchenmaschine hacken oder mit einem Messer fein würfeln.

Schneiden Sie den Kohl mit dem Slicer-Einsatz der Küchenmaschine (oder mit dem Messer oder mit dem Gurken-Slicer) in Streifen. Paprika halbieren, entkernen und ebenfalls sehr klein schneiden. Paprika in Würfel schneiden.

Das Öl in einer großen Pfanne erhitzen und die Zwiebeln und Paprika unter Rühren anbraten. Dann den Kohl einfüllen und mit Salz abschmecken oder mit körniger Brühe bestreuen, mit einem Deckel abdecken und die Temperatur senken.

Nach 5 - 10 Minuten die Paprika einrühren, den Deckel aufhalten. Fügen Sie dem Kraut Kondenswasser hinzu. Kochen, bis die gewünschte Festigkeit erreicht ist.

Als Hauptgericht für 1 Person 2 - 3 Teller, als Beilage reicht es definitiv für mehr Personen.

FIERY BUTTERNUT UND CARROT SAUCEPAN

Portionen: 3

ZUTATEN

- 580 g Butternusskürbis (e), geschält und gewogen
- 580 g Karotte (n), geschält und gewogen
- 2 m große Zwiebel (Substantiv)
- 1 Schuss   Öl
- Rote Paprika)
- 2 Zehen / n   Knoblauch
- Paprika für mich 1 gelb länglich und 1 gelb kugelförmig, klein
- 1 Schuss   Wasser
- 2 EL   Brühe (Wundergewürz) oder ähnliche, alternativ gemaserte Brühe
- ½ Bund Koriandergrün

VORBEREITUNG

Karotten und Kürbis getrennt in Würfel schneiden, die Größe ist entscheidend für die Garzeit.

Meine Würfel waren normalerweise ungefähr 1 cm x 2 cm oder etwas größer. Die Zwiebel putzen und in nicht zu kleine Würfel schneiden. Drücken Sie den Knoblauch entweder durch oder schneiden Sie ihn sehr fein. Paprika waschen und reinigen und in kleine Stücke schneiden. Entfernen Sie die mittleren Trennwände und die Körner von den Paprikaschoten und schneiden Sie sie in winzige Stücke. Achten Sie darauf, Ihre Augen oder Schleimhäute nicht mit den Händen zu berühren. Den Koriander waschen und in feine Streifen schneiden.

Das Öl in einem großen Topf erhitzen und die Zwiebeln anschwitzen, dann die Karotten dazugeben und bei geschlossenem Deckel ca. 10 Minuten kochen lassen. Fügen Sie möglicherweise einen Schuss Wasser hinzu und rühren Sie das Wundergewürz oder die Brühe ein. Hier müssen Sie die Menge testen. Erst dann die Kürbiswürfel und den Knoblauch darauf legen. Reduzieren Sie die Temperatur und lassen Sie es bei geschlossenem Deckel wieder kochen. Nach weiteren 5 Minuten Paprika und Chilischoten hinzufügen. Gut mischen und bei minimaler Hitze weitere 5 Minuten kochen lassen. Zum Schluss den Koriander untermischen.

MAI PAPRIKA-SUPPE DREHEN

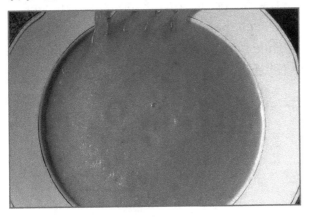

Portionen: 3

ZUTATEN

- 1 Teelöffel   Kokosöl oder was auch immer Sie mögen
- 1 klein Zwiebel (n), fein gewürfelt
- 1 groß Mai Rüben, ca. gewogen. 280 g gereinigt
- ½ Paprika
- 300 ml Gemüsebrühe
- n. B. B. Salz und Pfeffer

VORBEREITUNG

Die Mai-Rüben schälen oder schrubben (nach Belieben) und in Würfel schneiden. Paprika waschen, entkernen und ebenfalls in Würfel schneiden.

Das Öl in einem Topf erhitzen und die Zwiebel durchscheinend werden lassen. Dann füllen Sie zuerst die Rote Beete und dann die Pfefferwürfel. Mit Brühe auffüllen und bei geschlossenem Deckel kochen, bis alles weich ist. Die Suppe mit dem Stabmixer oder in einem Mixer pürieren. Bei Bedarf mit Salz und Pfeffer würzen. Wenn Ihnen die Suppe zu dick ist, können Sie sie mit Brühe füllen.

Dies reicht für 2 Personen als Vorspeise

EINFACHE LEEK- UND EGERLING-WANNE

Portionen: 1

ZUTATEN

- 1 Teelöffel   Kokosöl oder anderes Öl
- 1 groß Verwenden Sie den Lauch Stick (s), auch der grüne
- 6 m.-groß   Egerlinge
- 1 Teelöffel   Gemüsebrühe, granuliert, möglicherweise hausgemacht
- 1 Prise (n)   Pfeffer, weißer für mich
- 1 Schuss   Pflanzenmilch (Pflanzengetränk), für mich aus der süßen Lupine

VORBEREITUNG

Den Lauch in feine Ringe schneiden und waschen. Die Pilze in nicht zu kleine Stücke schneiden, bei Bedarf halbieren und in Scheiben schneiden.

In einer großen Pfanne das Öl bei mittlerer Hitze erhitzen und die Lauchringe braten. Wenn sie durchscheinend werden, die Pilze darauf legen, mit Brühe würzen und ab und zu umrühren. Testen Sie, wann der Kochpunkt für Sie gekommen ist. Mit einem Schuss Gemüsemilch verfeinern, erneut zum Kochen bringen und mit Pfeffer würzen.

Für mich war dies ein großer, gefüllter, tiefer Teller und damit ein Hauptgericht. Als Beilage kann es für 2 Personen reichen.

Sellerie mit Mutternbutter

Portionen: 2

ZUTATEN

- 1 Schuss   Öl ad libitum
- 400 g Knollensellerie, gereinigt und gewogen
- 3 TL, gehäuft Nussbutter, Mandel, Haselnuss usw.
- 100 ml Wasser
- 1 Teelöffel   Brühe, körniges, möglicherweise hausgemachtes oder möglicherweise gesalzenes Gemüse usw.
- 1 Teelöffel, gehäuft Koriander, getrocknet

VORBEREITUNG

Waschen Sie den Sellerie und entfernen Sie seine groben Längsfasern (ähnlich wie Bohnen). Längs in zwei oder drei Streifen teilen und kleine Stücke abschneiden.

Das Öl in einem Topf erhitzen und die Selleriestücke anschwitzen. Mit Brühe bestäuben und mit Wasser übergießen. Dann abdecken und einige Minuten köcheln lassen.

Kurz bevor Sie denken, dass die Stücke für Sie in Ordnung sind, geben Sie die Nussbutter auf das Gemüse und lassen Sie es einige Minuten bei geschlossenem Deckel und reduzierter Hitze schmelzen. Mit dem Koriander bestreuen und kräftig umrühren. Möglicherweise nach Geschmack würzen.

Für mich ist dies ein Hauptgericht, als Beilage könnte es für zwei Personen reichen.

Hinweis: Eine Sauce ist hier nicht so toll. Wenn Sie mehr Flüssigkeit wünschen, verdoppeln Sie einfach das Wasser und rühren Sie möglicherweise mehr Nussbutter ein. Probiere es einfach.

KOHLRABI KARTOFFELN MIT WILDEM KNOBLAUCH

Portionen: 2

ZUTATEN

- 500 g Kohlrabi, geschält und gewogen
- 200 g Kartoffel (n), geschält und gewogen
- 2 EL, gehäuft Ramson Pesto
- 100 ml Mandelmilch (Mandelgetränk)
- 1 Schuss   Öl usw.
- n. B. B. Salz und Pfeffer

VORBEREITUNG

Den Kohlrabi in Würfel schneiden. Schneiden Sie die Kartoffeln in etwas kleinere Würfel. In einer beschichteten Pfanne mit Deckel das Öl erhitzen und die Kohlrabi-Würfel braten. Es können geröstete Aromen entstehen. Nach einer Weile die

Kartoffelwürfel hinzufügen und ebenfalls braten. Die Mandelmilch mit der Bärlauchpaste mischen und über die Mischung gießen. Setzen Sie den Deckel auf und köcheln Sie bei reduzierter Hitze, bis der gewünschte Kochpunkt erreicht ist. Wenn Sie nicht so viel Flüssigkeit mögen wie ich, nehmen Sie den Deckel 2 - 3 Minuten vor dem Ende ab. Bei Bedarf mit Salz und Pfeffer würzen.

Für einen guten Esser ist dies nur 1 Portion. Dieses Gericht kann sowohl eine Beilage als auch ein Hauptgericht sein.

KARTOFFEL UND PILZWANNE

Portionen: 3

ZUTATEN

- 1 kg   Kartoffel
- 200 g Auster Pilze
- 200 g König Austernpilze
- 20 g   Pilze, gemischt, getrocknet
- 300 ml Gemüsebrühe
- 1 groß Lauchstock (Substantiv)
- 2 Zehen / n   Knoblauch
- 2 kleine   Zwiebel (Substantiv)
- Öl
- Bei Bedarf Pfeffer oder Salz
- 2 TL, gehäuft Lupinenmehl, Bio, jedes andere Mehl wird sicher funktionieren

VORBEREITUNG

Die getrockneten Pilze gemäß den Anweisungen auf der Verpackung einweichen und bei Bedarf in kleine Stücke schneiden. Kartoffeln schälen und in mundgerechte Stücke schneiden (nicht zu klein). Schneiden Sie frische Pilze in ungefähr die gleiche Größe wie die Kartoffeln. Den Lauch in Scheiben schneiden, alles verwenden.

Zwiebeln und Knoblauch in kleine Würfel schneiden.

Die Kartoffeln mit der Gemüsebrühe fast bis zum Kochen kochen. Die Brühe abtropfen lassen und in einem Behälter sammeln. Legen Sie beide beiseite.

Erhitzen Sie einen Schuss Öl in einer Pfanne und fügen Sie zuerst die Zwiebeln, dann den Knoblauch und ganz am Ende die Lauchringe hinzu, lassen Sie sie durchscheinend werden und entfernen Sie sie.

Die Pilze in das Mehl rollen. In einer beschichteten Pfanne einen Schuss Öl erhitzen und die Pilze angreifen lassen. Beachtung! Leicht haftet, möglicherweise mit etwas Gemüsebrühe ablöschen.

Fügen Sie die Kartoffel-Lauch-Zwiebel-Mischung und die restliche Gemüsebrühe zu den Pilzen hinzu und erhitzen Sie alles erneut. Mit Pfeffer abschmecken.

Die Flüssigkeitsmenge kann variieren, je nachdem, wie Sie sich fühlen.

Für mich war dies ein Hauptgericht, aber es kann auch als Beilage serviert werden.

CURRY À LA GRANDPA

Portionen: 2

ZUTATEN

- 1 Kopf Brokkoli (ca. 500 g)
- 1 groß Kartoffel (n), fein gewürfelt
- 5 m groß   Karotte (n), in kleine Stücke geschnitten
- Gehackte Zwiebeln
- 5 m groß   Tomaten, geschält, fein gewürfelt
- 250 ml Gemüsebrühe
- 2 EL Curry Paste, gelb
- 1 Prise (n)   Korianderpulver
- 1 Prise (n)   Gemahlener Kreuzkümmel
- 1 TL, geebnet Zitronengras, getrocknet
- 2 Teelöffel   Öl (Kokosöl)

VORBEREITUNG

Den Brokkoli in kleine Röschen schneiden, den Stiel schälen und in kleine Stücke schneiden. Das Kokosöl in einer beschichteten Pfanne schmelzen und die Zwiebeln zusammen mit den Kartoffeln leicht anbraten. Fügen Sie die Karottenstücke hinzu und braten Sie weiter. Dann die gewürfelten Tomaten und die Curry-Paste unterrühren. Fügen Sie die restlichen Gewürze hinzu.

Füllen Sie mit ca. 250 ml Brühe, gut umrühren, dann den Brokkoli unterheben. Reduzieren Sie jetzt möglicherweise die Hitze. Kochen, bis die gewünschte Festigkeit erreicht ist (abhängig von der Größe der Gemüsestücke).

ORIENTAL-ASIATISCHER WEISSER KOHL

Portionen: 4

ZUTATEN

- Weißkohl, ca. 500 g
- Zwiebel (n), ca. 100 g
- Spitze Paprika, rot, in Würfel geschnitten
- 4 .. Tomaten, geschält und in kleine Würfel geschnitten
- 1 EL Öl (Kokosöl)
- 1 cm Ingwer, fein gewürfelt oder gerieben
- 1 Teelöffel Paprikapulver, heiß wie Rose
- 1 Teelöffel Kreuzkümmel
- 1 Teelöffel Zimtpulver
- $\frac{1}{2}$ TL Korianderpulver
- 1 Teelöffel Kurkuma
- 1 Haufen Petersilie glatt

- Möglicherweise. Salz-
- Möglicherweise 1 Teelöffel Currypulver

VORBEREITUNG

Entfernen Sie den Stiel vom Kohl und schneiden Sie ihn mit dem groben Julienne-Cutter in kleine Würfel. Zwiebeln halbieren und in feine Halbringe schneiden.

Das Kokosöl in einer großen Pfanne oder einem Topf erhitzen. Die Zwiebeln darin anschwitzen. Fügen Sie nun Kreuzkümmel, Kurkuma, Ingwer, Zimt, Paprikapulver und Koriander hinzu und rühren Sie um. Warten Sie, bis das Ganze zu riechen beginnt (bitte nicht zu heiß braten). Bevor die Mischung am Boden haftet, fügen Sie die Tomatenwürfel, die Paprika- und Kohlwürfel hinzu und rühren Sie kräftig um, bis alles gelb ist. Decken Sie jetzt unbedingt einen Deckel ab. Wenn es einmal gekocht hat, legen Sie die Petersilie darauf, rühren Sie nicht um und drücken Sie die Kräutermischung nach unten. Setzen Sie den Deckel wieder auf und lassen Sie ihn ca. 20-30 Minuten bei schwacher Flamme köcheln. Dann gut mischen. Wenn es nicht scharf genug ist, würzen Sie es vielleicht mit Curry. Nur bei Bedarf Salz auf den Teller geben.

NIEDRIGFETTER KARTOFFELSALAT

Portionen: 4

ZUTATEN

- 1.200 g   Kartoffeln, wachsartig
- ½ Gurke (Substantiv)
- Zwiebel (Substantiv)
- Knoblauchzehen)
- 1 m groß   Apfel
- Rote Paprika)
- 100 g   Kirschtomate
- 3 EL   Zitronensaft
- 5 EL   Sonnenblumenöl
- 2 Teelöffel   Agavensirup oder 1 Teelöffel Zucker
- 3 Stiele   Thymian, frischer
- 2 EL   Sahne

- Salz und Pfeffer

VORBEREITUNG

Die Kartoffeln ungeschält kochen und abkühlen lassen. Entfernen Sie die Samen von Tomaten, Gurken, Paprika und Apfel und schneiden Sie sie in kleine Stücke. Die Zwiebel schälen, fein hacken und mit dem bereits geschnittenen Gemüse mischen.

Zupfen Sie die Blätter aus dem Thymian und verquirlen Sie sie mit Öl, Zitronensaft, Agavensirup, Sahne, Salz und Pfeffer, um ein Dressing zu erhalten. Die Knoblauchzehen schälen, auspressen und den Saft zum Dressing geben. Fügen Sie das Salatdressing zum vorbereiteten Gemüse hinzu und mischen Sie alles gut.

Nun die Kartoffeln schälen, in feine Stücke schneiden und zum Salat geben. Zum Schluss den Salat noch einmal gut mischen und an einem kühlen Ort mindestens eine halbe Stunde ziehen lassen. Vor dem Servieren nochmals mit etwas Salz, Pfeffer und Zitronensaft abschmecken.

WILDE KNOBLAUCHKARTOFFELN

Portionen: 1

ZUTATEN

- 1 groß Kartoffel
- 1 Teelöffel, gehäuft Paste, (Bärlauchpaste, kein Pesto!)
- 1 EL   Rapsöl oder ähnliches
- 1 Prise (n)   Salz nach Geschmack
- n. B. B. Gemüsebrühe

VORBEREITUNG

Kartoffeln schälen und in kleine Würfel schneiden. Das Öl in einer beschichteten Pfanne erhitzen und die Kartoffeln braten. Rühren Sie die Gemüsebrühe mit der Bärlauchpaste glatt und heften / bedecken Sie die Kartoffeln damit (verwenden Sie genügend Brühe, damit die Kartoffeln "schwimmen"). Unter Rühren weiter kochen, bis die Flüssigkeit verdunstet ist, dann sollten auch die Kartoffeln fertig sein. Bei Bedarf mit Salz abschmecken.

Trinkgeld:

Übrigens gibt es hier im CK tolle Rezepte für Bärlauchpaste.

KÜRBISBROT

Portionen: 1

ZUTATEN

- 200 g Kürbisfleisch (Hokkaido, Butternuss oder ähnliches)
- 50 ml Wasser
- 150 g Buchweizen
- 50 g   brauner Reis
- 50 g   Andenhirse
- 20 g   Traubenkernmehl
- 30 g   Mandelmehl
- 2 EL   Olivenöl oder Kokosöl
- 2 Teelöffel   Backpulver
- 1 Teelöffel, gehäuft Salz-
- 1 Handvoll Kerne, zB B. Kürbis, Sonnenblume, Sesam
- n. B. B. Koriander
- n. B. B. Kümmel

- n. B. B. Kreuzkümmel
- n. B. B. Anis
- 2 EL   Flohsamen
- ½ Tasse   Wasser

VORBEREITUNG

Den Kürbis in kleine Stücke schneiden und in etwas Wasser weich kochen. Mischen Sie das Flohsamen in einer halben Tasse Wasser und lassen Sie es anschwellen. Den Backofen auf 170 Grad vorheizen.

Dann den abgekühlten Kürbis mit einer Gabel fein zerdrücken.

Hacken Sie die Kerne. Das Getreide nach Geschmack fein mahlen und mit Mehl, Salz und Backpulver mischen. Mischen Sie mit den Samen und, falls gewünscht, den Gewürzen. Mehl und Kürbis schnell mit ca. 50 ml Wasser.

Aus der Mischung einen Laib formen und auf ein geöltes Backblech legen. 40 Minuten backen, dann abkühlen lassen.

Die Mehlzusammensetzung kann nach Wunsch variiert werden. Amaranth- oder Kastanienmehl, das sehr süß ist, wären ebenfalls Alternativen. Das Traubenkernmehl sollte jedoch nicht mehr als 10% der Gesamtmehlmenge ausmachen.

Hinweis: Mandelmehl wurde entölt und entsteht beim Pressen des Mandelöls.

ROTER KOHL, ORANGE UND WALNUSS-SALAT

Portionen: 2

ZUTATEN

- $\frac{1}{2}$ kleinerer Rotkohl
- 2 Orangen)
- 3 cm   Ingwerwurzel, frisch
- 2 EL   Olivenöl
- 4 gehackte Walnüsse
- $\frac{1}{2}$ Zitrone (n), zusammengedrückt
- Kreuzkümmelpulver
- Petersilie
- Salz und Pfeffer

VORBEREITUNG

Den Rotkohl waschen und in feine Streifen schneiden. Fünf Minuten in kochendem Wasser blanchieren, abtropfen lassen und abkühlen lassen.

Die Orangen filetieren. Ingwerwurzel schälen und fein hacken. Mit Olivenöl, Zitronensaft, Kreuzkümmelpulver, Petersilie sowie Salz und Pfeffer zu einer Marinade mischen.

Mischen Sie den Rotkohl und die Orangenfilets mit den Walnüssen, rühren Sie die Marinade ein und lassen Sie sie 10 Minuten ziehen.

Blumenkohl mit Zitronen-Kokosnuss-Sauce

Portionen: 1

ZUTATEN

- 300 g Blumenkohl
- 1 EL Öl
- 100 ml Kokosmilch
- 2 EL Zitronensaft
- 1 Teelöffel Kokosblütenzucker oder ein anderer Süßstoff
- Salz-
- 1 Prise Cayenne-Pfeffer
- Möglicherweise. Kokosnussmehl

VORBEREITUNG

Den Blumenkohl in kleine Röschen teilen und den Stiel in kleine Stücke schneiden.

Das Öl in einem Topf erhitzen und den Blumenkohl bei geschlossenem Deckel anbraten. Häufig umrühren und nicht zu stark bräunen. Mischen Sie die Kokosmilch mit Zitrone, Cayennepfeffer und dem Süßstoff Ihrer Wahl (GAT-Leute wissen, was ich meine) und lassen Sie den Blumenkohl damit ablöschen. Bei mittlerer Temperatur mit einem offenen Topf köcheln lassen, bis der Biss fest ist.

Wenn die Sauce zu flüssig ist, mit Kokosmehl binden.

Da ich oft Gemüse ohne Kartoffeln, Reis usw. esse, war dies eine ganze Mahlzeit für mich.

Als Beilage reicht es sicher für 2 Personen.

BROKKOLI IM ZWIEBELBETT

Portionen: 2

ZUTATEN

- Brokkoli, ca. 500 g
- 4 m.-groß   Zwiebel (n), ca. 400 g
- wenig Brühe, konzentrierte, alternativ körnige Brühe oder Wundergewürz
- Cayenne Pfeffer
- n. B. B. Salz-
- 2 EL   Öl oder was auch immer Sie mögen

VORBEREITUNG

Den Brokkoli in kleine Röschen teilen, den Stiel schälen und in kleine Stücke schneiden. Schneiden Sie die Zwiebel in nicht zu kleine Würfel.

In einer Pfanne mit Deckel das Öl erhitzen und die Zwiebeln färben lassen. Es wird einige Minuten dauern. Großzügig mit Cayennepfeffer bestäuben und umrühren. Fügen Sie die Brühe und die Brokkoliröschen hinzu und dämpfen Sie bei geschlossenem Deckel und reduzierter Temperatur, bis die gewünschte Festigkeit erreicht ist. Hin und wieder umrühren und das Kondenswasser in die Pfanne fließen lassen.

Als Beilage reicht dies definitiv für 2 Personen. Jeder, der mich kennt, weiß, dass es ein Hauptgericht für mich ist.

Sellerie mit Grün

Portionen: 2

ZUTATEN

- 1 EL   Kokosnussöl
- 1 groß Knollensellerie mit grünem, geschältem ca. 600 g
- 2 EL   Suppengrün, hausgemacht, gesalzen, Rezepte in der Datenbank
- 100 ml Kokosmilch
- n. B. B. Salz und Pfeffer

VORBEREITUNG

Schneiden Sie das Grün von der Knolle ab und reinigen Sie den Sellerie, schneiden Sie ihn in Scheiben und dann in Würfel. Waschen Sie das Selleriegrün, pflücken Sie die Blätter von den Stielen und verwenden Sie sie gegebenenfalls für das gesalzene Suppengrün (dies war bei mir der Fall). Schneiden Sie die Stiele in dünne Scheiben.

Lassen Sie das Kokosöl in einer großen, beschichteten Pfanne heiß werden und braten Sie die Selleriestücke bei mittlerer Hitze einige Minuten lang, wobei Sie sie immer wieder wenden. Es können sich geröstete Aromen entwickeln. Dann die Stielscheiben dazugeben und einige Minuten unter Rühren braten. Die Kokosmilch mit dem gesalzenen Suppengrün mischen, in die Pfanne geben, kurz umrühren und bei schwacher Hitze bei geschlossenem Deckel köcheln lassen. Wenn die "Garzeit" für Sie erreicht ist, können Sie nach Belieben Salz und Pfeffer hinzufügen.

Für mich war dies ein Hauptgericht, als Beilage sollte es für zwei Personen reichen.

Hinweis: 100 ml Kokosmilch ergeben nicht viel Sauce, ich mag es nicht so sehr. Wenn Sie möchten, dass es flüssiger wird, können Sie mit der Flüssigkeitsmenge spielen.

SÜSSE KARTOFFEL UND EGGPLANT CURRY

Portionen: 4

ZUTATEN

- 500 g Süßkartoffel
- ½ Aubergine (Substantiv)
- 100 ml Orangensaft
- 400 ml Kokosmilch
- 2 Zwiebel (Substantiv)
- Knoblauchzehen)
- 1 EL Madras Currypulver, heiß
- 1 EL Kurkumapulver
- 1 EL Kokosnussöl
- Salz-

VORBEREITUNG

Aubergine waschen, ca. in Würfel schneiden. 1 x 1 cm und 15 Minuten in ein Salzbad stellen.

Die Süßkartoffeln schälen und würfeln. Tipp: Je kleiner die Würfel, desto schneller kocht die Süßkartoffel. Zwiebeln schälen und grob würfeln. Knoblauch schälen und andrücken.

Kokosöl im Wok erhitzen. Nehmen Sie die Aubergine aus dem Salzbad, tupfen Sie sie trocken und braten Sie sie im Wok von allen Seiten kurz an. Süßkartoffeln, Zwiebeln und Knoblauch dazugeben und anbraten. Fügen Sie die Gewürze hinzu und braten Sie, bis es duftet. Dann mit Kokosmilch, Orangensaft und ggf. etwas Wasser ablöschen und 15 Minuten köcheln lassen.

Überprüfen Sie, ob die Süßkartoffeln bissfest, aber gekocht sind, dann ist das Curry fertig.

Schmeckt hervorragend zu Reis oder Amaranth.

KAROTTEN- UND ZUCCHINI-PATTIES MIT BUCKWHEAT-MEHL

Portionen: 2

ZUTATEN

- 250 g Karotte
- 250 g Zucchini
- 5 TL, gehäuft Buchweizenmehl
- 1 Teelöffel, gehäuft Gemüsebrühepulver, granuliert
- 1 Schuss   Pflanzenmilch (Pflanzengetränk) oder Pflanzencreme
- Öl

VORBEREITUNG

Die Karotten schälen oder abkratzen (wie Sie es gewohnt sind) und auf dem Gemüseschneider in feine

Julienne-Streifen schneiden. Die Zucchini waschen und in Streifen schneiden. In eine Schüssel geben, die Pflanzencreme hinzufügen und mit dem Buchweizenmehl und der Gemüsebrühe mischen. Es sollte nicht zu flüssig werden. Backen Sie kleine, flache Pastetchen in einer Pfanne mit Öl bei mittlerer Hitze.

Die Pastetchen können als Hauptgericht oder als Beilage gegessen werden.

Kann auch als Fingerfood im Sinne von Pakoras serviert werden.

SAVOY CABBAGE ROLLS MIT FARBIGER FÜLLUNG

Portionen: 2

ZUTATEN

- 5 groß Wirsingkohlblätter
- 400 g Kartoffel (n), geschält, gewogen, gewürfelt
- 200 g Kürbis (e), gewürfelt, ohne Kern gewogen, zB B. Hokkaido
- Paprika, rot, fein gewürfelt
- 1 m.-groß   Zwiebel (n), fein gewürfelt
- 2 groß Knoblauchzehe (n), fein gewürfelt
- 1 Dose Tomaten, klobig, ca. 400 g
- 200 ml Gemüsebrühe
- 3 EL   Öl zB B. Olivenbraten
- 1 Prise (n)   Cayenne Pfeffer
- 1 Prise (n)   Muskatnuss

- Salz und Pfeffer

VORBEREITUNG

Trennen Sie die Wirsingblätter vom Stiel, drücken Sie die dicken Blattadern flach und kochen Sie die Blätter 4 - 5 Minuten lang in reichlich Salzwasser. Spülen Sie sie dann in kaltem Wasser ab und glätten oder trocknen Sie sie zwischen 2 Küchentüchern mit einem Nudelholz.

Kochen Sie die Kartoffeln in etwas Salzwasser, bis sie weich sind, gießen Sie das Wasser ab, würzen Sie die Kartoffeln mit Muskatnuss und drücken Sie sie durch eine Kartoffelpresse. Machen Sie dasselbe mit dem Kürbis, würzen Sie ihn nur mit Cayennepfeffer.

In einem geeigneten Topf die Zwiebeln in heißem Öl anbraten und mit den Tomaten ablöschen, die Brühe einfüllen und einige Minuten köcheln lassen. Alles in eine einfache Auflaufform geben.

Braten Sie den Knoblauch auch in Öl an und braten Sie den gewürfelten Paprika darin an. Würzen Sie ihn dann mit Salz und Pfeffer.

Nun die Wirsingkohlblätter zu gleichen Teilen bestreichen: zuerst die Kartoffelmischung, dann die Kürbismischung und darüber den gewürfelten Paprika. Die Blätter der dicken Rippen beginnen sich aufzurollen, falten sich in den Seiten und beenden das Rollen. Die Rouladen mit dem offenen Ende in die Tomatensauce geben und mit Öl bestreichen.

Backen Sie die Wirsingkohlröllchen bei 180 ° C - 200 ° C oben / unten für ca. 40 Minuten.

Dies passt gut zu Salzkartoffeln oder, wenn Sie Reis mögen / mögen.

BUCKWHEAT FLAXSEED CREPES MIT GEMÜSE

Portionen: 4

ZUTATEN

- 200 g Buchweizenmehl
- 300 g Wasser
- 4 .. Eigelb
- 1 Prise (n) Salz-
- 2 EL Leinsamen
- 30 g Kräuterbutter
- 500 g Pilze
- 500 g Rote Paprika)
- Zucchini
- 200 g Sahne
- 1 EL Petersilie, TK
- 1 EL Basil, TK
- Salz-

- Cayenne Pfeffer
- Pflanzenöl
- Pizza schmelzen, vegan

VORBEREITUNG

Buchweizenmehl, Wasser, Eigelb, Leinsamen und eine Prise Salz in eine Schüssel geben und mit einem Elektromixer gut 5 Minuten verquirlen. Den fertigen Teig in den Kühlschrank stellen, damit er etwas ruhen kann.

Die Kräuterbutter in eine Pfanne geben und erhitzen. Das Gemüse waschen, schneiden und zur Kräuterbutter geben. Um zu verhindern, dass die Pilze wässern, sollten sie sehr heiß gebraten werden. Die Kräuter und Gewürze in die Gemüsepfanne geben und über die Sahne gießen. Lassen Sie die Sahne unter Rühren fast vollständig abkochen.

Nehmen Sie den Teig aus dem Kühlschrank. Bürsten Sie entweder das Crêpeisen, die Crêpe-Pfanne oder eine normale Pfanne mit etwas Pflanzenöl und erhitzen Sie sie. Verteilen Sie schnell eine Kelle Teig auf der Kochplatte. Nach kurzer Zeit den Crêpe wenden und auf der anderen Seite braten.

Wenn alle Crepes gebraten sind, füllen Sie sie mit Gemüse und bestreuen Sie, wenn Sie möchten, etwas vegane Pizzaschmelze.

CAULIFLOWER AUF WILD GARLIC BUDS

Portionen: 3

ZUTATEN

- 1 kleiner   Blumenkohl
- 1 EL, gehäuft Kokosnussöl
- 4 TL, gehäuft Bärlauch (Bärlauchknospen oder Blütenmarmelade)
- 1 Handvoll Mandel (n) (Mandelflocken)
- 200 ml Mandelmilch (Mandelgetränk)
- 1 Prise Salz

Schneiden Sie den Blumenkohl in wirklich kleine Röschen und braten Sie sie kräftig in heißem Kokosöl in einer großen Antihaftpfanne. Es kann geröstete Aromen geben.

Mischen Sie in einer hohen Rührschüssel die Mandelmilch mit dem Brei der Bärlauchknospe oder der Bärlauchblüte mit den Mandeln. Diese Mischung zum Blumenkohl in der Pfanne geben, umrühren, die Temperatur senken und mit einem Deckel abdecken. Den Blumenkohl unter gelegentlichem Rühren auf die gewünschte Festigkeit kochen. Wenn Sie keine Flüssigkeiten mögen, sollten Sie die letzten Minuten offen kochen.

Zum Schluss nach Bedarf salzen.

Als Beilage reicht dies für 3 Personen, für mich ist es immer ein Hauptgericht und ich fühle mich satt.

CHILI CUCUMBER SUPPE MIT WILD GARLIC

Portionen: 2

ZUTATEN

- 1 m.-groß   Zwiebel (n), fein gewürfelt
- 1 klein Kartoffel (n), ca. 40 - 50 g, fein gewürfelt
- 1 EL   Öl oder anderes Fett
- ½ m. Größe Gurke (n), gewürfelt
- 4 TL, gehäuft Gewürzpaste (Bärlauchpaste)
- ¼ TL, gearbeitet   Chiliflocken, nach Geschmack dosieren
- n. B. B. Wasser
- 1 Teelöffel Gemüsebrühe, gemasert

VORBEREITUNG

Das Öl in einem Topf erhitzen und die Zwiebeln durchscheinend werden lassen. Fügen Sie die Kartoffelstücke hinzu und schwitzen Sie sie 1 - 2 Minuten lang an.

Gurkenwürfel einfüllen, mit Gemüsebrühe bestreuen und mit Wasser ablöschen. Gerade genug, um die Gurkenwürfel zu bedecken.

Verringern Sie die Temperatur und setzen Sie den Deckel auf. Etwa 5 Minuten köcheln lassen, dann die Bärlauchpaste und die Chilis einfüllen und einrühren. Den Deckel wieder schließen und kochen lassen, bis es Ihnen weich genug erscheint. Püree, fertig.

BUNTE STIR-FRY-GEMÜSE

Portionen: 2

ZUTATEN

- 1 Schuss   Öl
- 1 m große Zwiebel (n), fein gehackt
- 1 groß Knoblauchzehe (n), fein gewürfelt
- 250 g Karotte (n), geschält und gewogen
- 250 g Kartoffel (n), geschält und gewogen
- 250 g Bohnen, grün, möglicherweise gefroren
- 250 g Pilze
- 1 Teelöffel gehäuftes Kardamompulver
- 1 Teelöffel gehäufte Gemüsebrühe, gemasert

VORBEREITUNG

Die Karotten mit dem Gurkenschneider in dünne Scheiben schneiden. Möglicherweise die gefrorenen Bohnen einmal durchbrechen. Die Pilze in Scheiben schneiden und die Kartoffeln mit dem Julienne-Cutter in feine Streifen schneiden.

In einer großen beschichteten Pfanne mit Deckel Zwiebel und Knoblauch anbraten. Dann die Karotten braten, ein paar Minuten und dann die Kartoffelstreifen. Deckel aufsetzen. Wenn Sie das Gefühl haben, dass sich die letzten beiden Zutaten dem Kochpunkt nähern, lassen Sie die Bohnen einige Minuten köcheln. Zum Schluss die Pilze unterheben und alles mit Kardamom und Gemüsebrühe würzen. Reduzieren Sie die Temperatur erheblich und lassen Sie das Gemüse nur bei schwacher Hitze bei geschlossenem Deckel ziehen. Die Garzeit ist ein bisschen "eine Frage des Gefühls", je nachdem, wie dick oder dünn das Gemüse geschnitten wird.

Wenn nötig, Salz in die Schüssel auf dem Teller geben.

Dies kann ein Hauptgericht oder eine Beilage sein.

SCHARFE WANNE

Portionen: 1

ZUTATEN

- Öl nach Geschmack
- Aubergine (n), ca. 350-400 g
- 4 ..   Spitzpfeffersorte Sivri
- Spitzpfeffer, rot
- 1 Handvoll   Petersilie (geschnitten und gemessen)
- Salz und Pfeffer
- 2 Schüsse   Pflanzenmilch (Pflanzengetränk) (Mandelmilch usw.), optional

VORBEREITUNG

Die Auberginen waschen, längs in Streifen schälen und in Würfel schneiden. Waschen Sie den Sivri und schneiden Sie ihn mit den Samen in feine Ringe. Werfen Sie das Stielende weg. Paprika waschen, entkernen und in kleine Würfel schneiden. Petersilie waschen und fein hacken.

In einer Pfanne, die auf einen Deckel passt, das Öl erhitzen (die Menge liegt bei Ihnen) und die Auberginenwürfel braten, zuerst öffnen und dann den Deckel aufsetzen. Wenn die Auberginen zur Hälfte fertig sind, die Paprika hinzufügen, umrühren und bei reduzierter Hitze geschlossen anbraten. Hin und wieder umrühren.

Salz und Pfeffer abschmecken, etwas Flüssigkeit hinzufügen, wenn es zu trocken wird. Petersilie untermischen und dämpfen, bis der Biss fest ist.

Nach Geschmack abschmecken, wenn es zu heiß ist, etwas Gemüsemilch einfüllen und einige Minuten einkochen lassen (für mich war das so!).

Die Menge, ein großer tiefer Teller, war ein Hauptgericht für mich. Als Beilage kann es für 2 Personen reichen

VEGANISCHE FLEISCHBÄLLE AUS GESPROCHENEN MUNGBOHNEN

Portionen: 3

ZUTATEN

- 100 g Bohnen (Mungobohnen), getrocknet
- Zwiebel (Substantiv)
- Knoblauchzehen)
- 1 EL Tomatenmark
- 1 Teelöffel Leinsamenmehl oder gemahlener Leinsamen
- ½ TL Geräuchertes Salz
- ½ TL Kreuzkümmel, gemahlen oder gemahlen
- Pfeffer
- Basilikum, getrocknet
- Majoran, getrocknet
- Koriander, getrocknet

- Öl zum braten

VORBEREITUNG

Die Mungobohnen über Nacht einweichen. Dann in ein Sieb geben, abspülen und dann in einem Sieb über einer Schüssel etwa 2 - 3 Tage lang keimen lassen, morgens und abends abspülen.

Die gekeimten Mungobohnen ca. 10-15 Minuten abtropfen lassen und etwas abkühlen lassen.

In der Zwischenzeit die Zwiebel fein hacken, den Knoblauch durch eine Presse drücken und beide zu den Bohnen geben. Fügen Sie alle anderen Zutaten hinzu und kneten Sie alles gut. Form ca. 6 - 8 Frikadellen aus dem Teig.

Das Öl in einer Pfanne erhitzen und die Fleischbällchen auf beiden Seiten ca. 5 - 8 Minuten, nicht zu heiß werden lassen!

Hinweise:

Sie können natürlich auch gekeimte Mungobohnen verwenden, aber dann müssen sie länger kochen, ca. 1 Stunde. Die gekeimten Mungobohnen sind nicht basisch und enthalten weniger Nährstoffe.

Wenn Sie zerkleinerte Leinsamen verwenden, sollte der Teig etwa 15 Minuten stehen, damit die Leinsamen quellen und ihre Haftfestigkeit entwickeln können. Mit Flachsmehl kann der Teig sofort weiterverarbeitet werden.

74

MINT OIL, MINT PASTE

Portionen: 1

ZUTATEN

- 1 Handvoll Minzblätter (eine große Handvoll)
- n. B. Olivenöl, mild, fruchtig
- n. B. B. Salz-

VORBEREITUNG

Die Minzblätter von den Stielen pflücken, waschen.
Mischen Sie in einem Mixer mit einem guten Schuss Öl
und einer guten Prise Salz, um eine Paste zu erhalten,
die nicht mehr sehr dick ist. "Spielen" Sie mit Öl,
Minzblättern und Salz, bis der Geschmack und die
Konsistenz für Sie richtig sind.

CASHEW CREME

Portionen: 1

ZUTATEN

- 250 g Cashewnüsse, ungesalzen
- 500 ml Wasser

VORBEREITUNG

Geben Sie die Cashewnüsse in einen geeigneten Behälter und füllen Sie sie mit ausreichend Wasser auf, damit sie etwa zwei Fingerbreiten mit Wasser bedeckt sind. Mindestens 2 Stunden, vorzugsweise 3 Stunden einweichen.

Dann die Körner in einem Sieb abtropfen lassen und mit dem Wasser in einem Mixer pürieren. Mischen, bis eine homogene Masse entsteht.

Die Menge an Wasser kann variiert werden, je nachdem wie dick die Creme sein soll.

Geben Sie den veganen Sahneersatz in eine Milchflasche oder einen ähnlichen Behälter. Die Creme bleibt ca. 3 - 5 Tage im Kühlschrank.

Leider kann man es nicht peitschen, so dass es besser als Saucengrundlage oder Saucenzusatz geeignet ist.

Die Cashewnüsse sollten eingeweicht werden, damit sie leichter verarbeitet werden können. Dies ist jedoch nicht unbedingt erforderlich, wenn Sie einen Standmixer oder ein ähnliches Gerät haben. Allerdings finde ich einen Stabmixer etwas ungeeignet.

FEDERPFANNEN

Portionen: 1

ZUTATEN

- 1 Schuss   Öl nach Geschmack
- 3 m große Karotte
- 3 m große Kartoffel
- 2 EL gehäufte Bärlauchpaste mit gehackten Mandeln

VORBEREITUNG

Karotten schälen und in Scheiben schneiden. Kartoffeln schälen und in Stücke schneiden, die genauso groß sind wie die Karotten.

In einer Pfanne, die auf einen Deckel passt, das Öl erhitzen und die Karotten hinzufügen. Einige Male umrühren und dann die Kartoffeln hinzufügen. Die Kartoffel-Karotten-Mischung braten und mehrmals wenden. Es können geröstete Aromen entstehen. Fügen

Sie die Bärlauchpaste hinzu. Drehen Sie die Heizung herunter und setzen Sie den Deckel auf. Nach ein paar Minuten umrühren und kochen, bis es bissfest ist. Nach Bedarf würzen.

Für mich war dies ein Hauptgericht, als Beilage könnte es für 2 Personen reichen.

CREAMY, HEISSE 3 K WANNE

Portionen: 2

ZUTATEN

- 170 g   Karotte (n), geschält und gewogen
- 170 g   Kohlrabi, geschält und gewogen
- 170 g   Kartoffel (n), geschält und gewogen
- 1 Schuss   Öl je nachdem, was Sie bevorzugen
- 100 ml Kokosmilch
- 1 Teelöffel gehäufte Curry-Paste
- 2 EL, gehäuft Tomaten-Pfeffer-Fruchtfleisch
- Möglicherweise. Salz-

VORBEREITUNG

Karotten, Kartoffeln und Kohlrabi in Pommes Frites schneiden. Rühren Sie die Curry-Paste (ich hatte gelb) und das Fruchtfleisch in die Kokosmilch.

In einer Pfanne, die auf einen Deckel passt, das Öl bei mittlerer Hitze erhitzen (7 von 9) und zuerst die

Karotten aufgehen lassen, dann die Kohlrabi-Streifen, dann die Kartoffeln hinzufügen. Nach jedem Schritt umrühren. Gießen Sie nun die Kokosmilchpaste ein, rühren Sie um, setzen Sie den Deckel auf und drehen Sie die Hitze auf ca. 3 von 9. Lassen Sie das Kondenswasser immer wieder in die Pfanne fließen. Lassen Sie es köcheln, bis die Kartoffeln fertig sind. Schalten Sie den Ofen aus und lassen Sie ihn einige Minuten ziehen. Falls gewünscht, Salz hinzufügen.

Die angegebenen Mengen waren rein zufällig und man muss nicht sklavisch sein, um sie einzuhalten.

Mit guten Essern kann nur eine Person voll sein.

Es kann sowohl ein Hauptgericht als auch eine Beilage sein.

SCHNELLER, KLEINER RÜCKENSALAT

Portionen: 1

ZUTATEN

- 2 Ball / n Rote Beete, gekocht
- 1 EL   Meerrettich, gerieben, aus dem Glas
- 1 Schuss   Olivenöl oder was auch immer Sie bevorzugen
- Etwas Salziges

VORBEREITUNG

Die Rote Beete in feine Julienne schneiden, mit dem geriebenen Meerrettich und dem Öl mischen. Alles mit Salz würzen.

Das Gericht kann auch als Beilage oder als Zwischengang serviert werden.

ROTER KOHL UND KARTOFFELCURRY

Portionen: 4

ZUTATEN

- 250 g Rotkohl (Rotkohl)
- 250 g Kartoffel (n), geschält und gewogen
- 1 m.-groß   Zwiebel (n), rot
- 1 Schuss   Rapsöl
- $\frac{1}{2}$ TL   Kreuzkümmel
- $\frac{1}{2}$ TL   Koriander
- 2 TL, gehäuft Curry Pulver
- 200 ml Gemüsebrühe

VORBEREITUNG

Zwiebel schälen und in feine Ringe schneiden. Schneiden Sie den Rotkohl in feine Streifen oder Scheiben (mit dem Gurkenschneider, feinste Einstellung, der schnellste Weg). Schneiden Sie die Kartoffeln in kleine Würfel.

Erhitzen Sie das Öl in einem Topf (Stufe 7 von 9 möglich) und lassen Sie die Zwiebeln durchscheinend werden. Dann die Gewürze hinzufügen, umrühren und erst mit der Brühe ablöschen, wenn die Gewürze zu riechen beginnen. Dann schichten Sie den Kohl und die Kartoffeln in Schichten. Setzen Sie einen Deckel auf den Topf. Noch nicht umrühren, nur wenn es anfängt zu köcheln, die Hitze herunterdrehen (Stufe 2 von 9 möglich) und kräftig umrühren. Lassen Sie es köcheln, bis die Kartoffeln fertig sind und der Kohl so weich oder fest im Biss ist, wie Sie es möchten.

Bei Bedarf mit Salz auf dem vorbereiteten Teller würzen.

Es mag in Bezug auf Farbe nicht so gut aussehen, aber es schmeckt gut.

BLUEBERRY CRUMBLE OHNE MEHL UND ZUCKER

Portionen: 4

ZUTATEN

- Fett für den Schimmel, vegan
- 400 g Blaubeeren, frisch oder gefroren
- 75 g Butter, weich
- 50 g Haferflocken, zart
- 2 EL Dattelsirup oder Honig
- 50 g Gemahlene Mandeln
- 1 Teelöffel Backpulver
- 1 Teelöffel Zimtpulver
- 2 Eier)
- 1 EL Mandelmilch (Mandelgetränk) oder Hafermilch (Hafergetränk)

VORBEREITUNG

Fetten Sie zuerst eine Auflaufform ein wenig ein, damit danach nichts von dem Streusel klebt.

Waschen Sie die Früchte und legen Sie sie in die gefettete Schüssel.

Die weiche Butter, den Dattelsirup, das Haferflockenmehl, die gemahlenen Mandeln, das Backpulver und den Zimt in eine Schüssel geben und mit einem Mixer zu einem klebrigen Teig mischen. Verteilen Sie diesen Teig gleichmäßig auf die Beeren in größeren und kleineren Krümeln.

Zum Schluss die Eier mit dem Milchersatz verquirlen und diese Flüssigkeit über die Streusel gießen.

Im vorgeheizten Backofen bei 180 ° C oben / unten ca. 30 - 40 Minuten. Wenn der Streusel schnell dunkel wird, bedecken Sie ihn mit Aluminiumfolie, um ihn zu schützen.

Der Streusel schmeckt warm und kalt.

Ein besonderer Leckerbissen zum Nachtisch: warm und mit Schlagsahne genießen!

SCHNELLE KÜRBIS-SUPPE IN DER MONSIEUR-KÜCHE

Portionen: 3

ZUTATEN

- 2 m.-groß   Zwiebel (Substantiv)
- 2 Teelöffel   Erdnussöl
- 1 m groß   Hokkaido-Kürbis (se)
- n. B. B. Wasser
- 1 kleines Stück Ingwer
- 2 Teelöffel   Curry
- 2 Teelöffel   Gemüsebrühe, einfach
- 1 Teelöffel   Zimt
- n. B. B. Salz und Pfeffer
- 200 ml Hafercreme (Hafercreme-Küche)

VORBEREITUNG

Die Zwiebeln schälen, grob würfeln und zur Monsieur-Küche geben. Fügen Sie das Erdnussöl hinzu und wählen Sie die Bratfunktion für 6 Minuten.

In der Zwischenzeit den Kürbis entkernen, in Würfel schneiden und zusammen mit dem Ingwer zu den Zwiebeln geben. Wählen Sie die Sengfunktion für weitere 3 Minuten.

Gießen Sie Wasser ein, bis der Kürbis gleichmäßig bedeckt ist, und kochen Sie ihn 20 Minuten lang auf Stufe 2 bei 100 ° C. Fügen Sie nach und nach alle Gewürze hinzu.

Nach dem Kochen die Hafercreme hinzufügen und 30 Sekunden lang auf Stufe 10 pürieren.

Wenn keine Küchenmaschine verfügbar ist, kann die Suppe alternativ einfach in einem Topf zubereitet und dann püriert werden.

ENDIVSALAT MIT TRAUBENFRUCHT

Portionen: 1

ZUTATEN

- ½ Kopf Endiviensalat
- Rosa Grapefruit (s)
- ½ Zitrone (n), Saft davon
- Etwas Salz und Pfeffer
- 1 EL   Xylitol (Zuckerersatz) oder Erythrit
- 2 EL   Olivenöl
- 1 EL   Rotweinessig, Apfelessig oder 1/2 Zitrone mehr

VORBEREITUNG

Den Endiviensalat schneiden und waschen. Den Salat gut abtropfen lassen und in eine Schüssel geben. Entfernen Sie die Schale vollständig von der Grapefruit und

schneiden Sie auch die weiße Haut mit der Haut ab.
Filetieren Sie die Grapefruit, schneiden Sie sie mit
einem scharfen Messer links und rechts in die Haut und
entfernen Sie das Fruchtfleisch. Die Filets in kleine
Stücke schneiden und zum Salat geben. Fügen Sie die
restlichen Zutaten hinzu und mischen Sie alles gut,
damit sich der Xucker auflöst.

Der Salat reicht als Beilage für 2 - 3 Personen.

BROCCOLI IN EINEM TOMATEN- UND PFEFFERBETT

Portionen: 3

ZUTATEN

- 350 g Brokkoli, gereinigt
- 3   Spitze Paprika oder Paprika, in kleine Würfel geschnitten
- 350 ml Gemüsebrühe
- 150 g Tomatenmark
- 1 m.-groß   Zwiebel (n), fein gewürfelt
- 1 Zehe / n   Knoblauch, fein gewürfelt
- 1 Schuss   Öl
- $\frac{1}{2}$ TL Majoran
- $\frac{1}{2}$ TL Oregano
- 1 Prise Chilipulver

VORBEREITUNG

Den Brokkoli in kleine Röschen teilen und den Stiel in kleine Stücke schneiden.

Das Öl in einer großen Pfanne erhitzen, zuerst die Zwiebeln durchscheinend werden lassen und dann den Knoblauch hinzufügen. Fügen Sie den gewürfelten Pfeffer hinzu und rühren Sie ihn einige Minuten lang um. Mischen Sie die Tomatenmark mit der Brühe und fügen Sie dem Gemüse hinzu. Alles mit Oregano, Majoran und Chili würzen und den Brokkoli unterheben.

Reduzieren Sie die Hitze und köcheln Sie den Brokkoli bei schwacher Flamme, bis er bissfest ist.

Diese sind für GATler-Kartoffeln geeignet.

Wer diese Ernährungsform nicht befolgt, kann das Gemüse auch als Beilage zu einem Fleischgericht essen und mit Nudeln oder Reis servieren.

GEMÜSEWANNE GRÜN UND WEISS

Portionen: 2

ZUTATEN

- Fenchel, ca. 250 g
- 250 g Rettich (e), weiß
- 250 g Zucchini
- 4 EL, gehäuft Kokosmilch, cremig
- 1 EL   Curry Paste, grün
- 1 Prise (n)   Salz-
- 1 EL   Kokosnussöl

VORBEREITUNG

Schneiden Sie das gesamte Gemüse in gleich große Würfel.

In einer Pfanne, die auf einen Deckel passt, zuerst den gewürfelten Fenchel in Kokosöl braten und dann das restliche Gemüse hinzufügen. Braten Sie dies auch und drehen Sie es mehrmals.

Rühren Sie die Kokosmilch mit der Curry-Paste glatt, falten Sie sie unter das Gemüse und kochen Sie sie bei geschlossenem Deckel bei schwacher Flamme, bis die gewünschte Festigkeit erreicht ist. Wenn Ihnen die entstehende Flüssigkeit zu viel ist, können Sie sie bei geöffnetem Deckel reduzieren.

Möglicherweise Salz auf dem Teller. Für mich ist dies ein Hauptgericht und reicht für 2 Portionen.

BUCKWHEAT BROT MIT AMARANTH

Portionen: 1

ZUTATEN

- 500 g Buchweizenmehl
- 50 g Amaranth, aufgeblasen
- 50 g Kürbiskerne
- 100 g Sonnenblumenkerne
- 2 Teelöffel Salz-
- 2 EL Chia-Samen
- 450 ml Wasser, lauwarm
- Kokosöl für den Schimmel

VORBEREITUNG

Mischen Sie zuerst 2 Esslöffel Chiasamen mit 12 Esslöffeln Wasser, um ein Chia-Gel zu erhalten. Mindestens eine halbe Stunde in den Kühlschrank stellen. Zwischendurch umrühren, damit sich die Chiasamen nicht am Boden absetzen, sondern mit dem Wasser zu einer gelartigen Masse verbinden.

Das Brot kann auch ohne Chia-Gel gebacken werden. Da es jedoch kein Gluten, dh kein Gluten, enthält, bedeutet Buchweizenmehl, dass das Backergebnis etwas bröckeliger ist als Brot aus normalem Getreide. Der Teig hält durch Zugabe des Chia-Gels besser zusammen.

Nun alle trockenen Zutaten in eine Rührschüssel geben und mischen, Chia-Gel und Wasser hinzufügen und mit dem Teighaken eines Handmixers oder Ihren Händen gut kneten.

Eine kleine Laibpfanne (20 cm) mit etwas Kokosöl einfetten und den Teig hinzufügen. Befeuchten Sie die Oberfläche des Teigs leicht, streuen Sie bei Bedarf ein paar Kürbiskerne darüber und ritzen Sie das Brot in Längsrichtung mit einem Messer ein. Bei 200 Grad Konvektion ca. 40 - 50 Minuten backen.

VEGAN COCONUT MACAROONS

Portionen: 1

ZUTATEN

- Banane (n), sehr reif
- 60 g Ausgetrocknete Kokosnuss oder Mandeln oder Haselnüsse, gehackt

VORBEREITUNG

Eine sehr reife Banane mit einer Gabel fein zerdrücken und 60 g getrocknete Kokosnuss einrühren. Es funktioniert sicherlich mit gehackten Mandeln oder Haselnüssen für diejenigen, die keine geriebene Cola mögen.

Legen Sie mit einem Teelöffel kleine Makronen auf ein mit Backpapier ausgelegtes Backblech. Im nicht

vorgeheizten Backofen bei 150 ° C (Ober- / Unterhitze)
20 Minuten backen.

Die Masse reicht für ca. 16 Kekse.

SPICY GAT PESTO

Portionen: 1

ZUTATEN

- 1 Haufen   Petersilie
- 1 Haufen   Dill
- 8 EL, gehäufte Mandeln, gemahlen oder Haselnüsse, gemahlen
- 6 TL, gehäufte Hefeflocken
- 1 EL, geebnetes Salz
- 2 kleine Chilischoten, rot, ohne Samen, möglicherweise beginnend mit 1 beim ersten Mal
- 1 EL   Olivenöl

VORBEREITUNG

Petersilie und Dill grob hacken, auch die Stiele verwenden. Alle Zutaten in einem Mixer oder einer Küchenmaschine zerkleinern oder zu einer homogenen Masse rühren / mischen.

Ein wirklich schönes heißes Pesto ist fertig.

KAROTTEN- UND TOMATENSUPPE

Portionen: 3

ZUTATEN

- 1 Schuss   Öl zum braten
- 4 kleine   Zwiebel (n), fein gewürfelt
- 2 Knoblauchzehen fein gewürfelt
- 2 cm   Ingwer, fein gewürfelt
- 4 groß Karotte
- 3 groß Tomaten)
- 500 ml Gemüsebrühe

VORBEREITUNG

Karotten schälen und in Scheiben schneiden. Die Tomaten in einem Mixer hacken.

Das Öl in einem Topf erhitzen und zuerst die Zwiebeln und dann die Knoblauchzehen und den Ingwer anbraten.

Gießen Sie dann die Karotten hinein und braten Sie sie einige Minuten lang unter ständigem Rühren. Alles mit den gemischten Tomaten bedecken und mit Gemüsebrühe auffüllen. Die Suppe bei reduzierter Temperatur köcheln lassen, bis die Karotten weich sind. Alles mit einem Stabmixer pürieren, bei Bedarf Salz hinzufügen.

HOKKAIDO LEEK POT

Portionen: 2

ZUTATEN

- 1 Schuss   Öl
- 2 Stangen / n Lauch, nehmen Sie auch die grüne, ca. 390 g
- $\frac{1}{2}$ Hokkaido-Kürbis (se), gewogen ca. 575 g ohne Samen
- 200 ml   Gemüsebrühe
- 2 TL, gehäufte Tigernüsse, gemahlen oder Flocken

VORBEREITUNG

Den Lauch in Ringe und den Hokkaido in Würfel schneiden.

Das Öl in einem Topf erhitzen und den Lauch angreifen lassen. Dann die Kürbiswürfel einrühren, die Brühe einfüllen und bei niedriger Temperatur bis zur gewünschten Festigkeit kochen.

Kurz vor dem Ende die Tigernüsse darüber streuen und einrühren.

ENDIVE ROT UND WEISS

Portionen: 2

ZUTATEN

- 1 Schuss   Öl
- 1 groß Zwiebel (n), fein gewürfelt
- 1 ½   Paprika, rot, fein gewürfelt
- 3 m große Kartoffel
- 200 ml Gemüsebrühe, ca.
- Salz und Pfeffer
- n. B. Olivenöl
- ¼ Kopf Endiviensalat, großer Kopf
- ½ Zitrone (n) oder 1 Limette, Saft davon
- Petersilie, getrocknet oder frisch

VORBEREITUNG

Kochen Sie die Kartoffeln entweder als Pellkartoffeln
(dann nach dem Kochen schälen) oder als
Salzkartoffeln.

Das Öl in einem Topf erhitzen und die Zwiebeln durchscheinend werden lassen. Dann den gewürfelten Paprika hinzufügen. Gießen Sie ca. 150 - 250 ml Brühe. Einige Minuten köcheln lassen und dann die fein gehackte Petersilie darüber gießen, möglicherweise Pfeffer. Stell den Herd ab.

Drücken Sie die Zitrone aus und gießen Sie den Saft in eine Schüssel. Den Endivien in schmale Streifen schneiden, waschen und zum Zitronensaft geben.

Wenn die Kartoffeln weich sind, drücken Sie sie durch eine Presse und falten Sie sie unter die Zwiebel-Pfeffer-Mischung. Noch warm über den Endivien gießen und gut mischen, bei Bedarf würzen und nach Belieben Olivenöl hinzufügen. Genießen Sie lauwarm.

Passt als Beilage zu allem, was gebraten wird, oder in meinem Fall als Hauptgericht.

Mit diesem Salat können Sie alles variieren, mehr Kartoffeln, weniger Flüssigkeit oder, oder, oder ...

Pfannengebratenes Meerrettich-Gemüse

Portionen: 2

ZUTATEN

- 2 EL   Ghee oder geklärte Butter oder Kokosöl
- 1 m.-groß   Zwiebel (n), fein gewürfelt
- 2 groß Knoblauchzehe (n), fein gewürfelt
- 350 g Karotte (n), gereinigt, gewogen, gewürfelt
- 2 groß Kartoffel (n), gewogen ca. 320 g, geschält und gewürfelt
- 250 g Pilz, halbiert, in Scheiben geschnitten
- 4 EL, gehäuft Meerrettich, frisch gerieben oder in einem Glas

VORBEREITUNG

Lassen Sie in einer großen Pfanne das Fett heiß werden und die Zwiebeln und Knoblauchzehen übersetzen.

Dann die Karotten einfüllen und bei geschlossenem Deckel einige Minuten braten.

Lassen Sie das Kondenswasser, das sich aus dem Deckel bildet, immer wieder in die Pfanne fließen. Nun die Kartoffelwürfel einrühren und den Deckel wieder aufsetzen. Wenn die Kartoffeln fast fertig sind, machen Sie dasselbe mit den Pilzen und drehen Sie die Hitze herunter.

Einige Minuten köcheln lassen und dann den Meerrettich unterheben. Sie können es entweder nur mit Salz und Pfeffer oder einem Löffel granulierter Brühe oder was auch immer Sie für richtig halten, würzen.

Für mich ist dies ein Hauptgericht, aber Sie können auch ein Pastetchen oder ähnliches damit haben.

Die angegebene Garzeit ist nicht genau, sie hängt von der Größe des Gemüses ab. Testen Sie es einfach selbst.

Sie müssen sich nicht genau an meine Mengen halten, sie sind nur Richtlinien oder so habe ich sie in diesem Moment gewogen. Das einzig Wichtige an diesem Rezept ist, dass Sie Meerrettich mögen.

ZWIEBELROTER KOHL

Portionen: 2

ZUTATEN

- 1 Schuss   Öl zum braten
- 500 g Zwiebel (n), gereinigt und gewogen
- 500 g Rotkohl (Rotkohl), gereinigt und gewogen
- 1 EL, gehäuft Kokosblütenzucker oder eine andere Art von Zucker
- 1 Teelöffel Zimt
- $\frac{1}{2}$ TL   Kreuzkümmel
- $\frac{1}{2}$ TL   Kümmel
- 1 Teelöffel Gewürzmischung (7 Gewürzpulver)
- Salz-

VORBEREITUNG

Zwiebeln halbieren und in Scheiben schneiden. Den Kohl nicht zu fein schneiden.

In einer großen Pfanne oder einem Topf bei mittlerer Hitze (7 von 9) einen guten Schuss Öl erhitzen und die Zwiebeln anbraten. Mit der Menge können Sie nach ca. 5 Minuten einen Deckel aufsetzen.

Mischen Sie immer die Zwiebeln und streuen Sie, wenn sie durchscheinend sind, die Gewürze darüber und rühren Sie gut um.

Den Rotkohl in 2 Portionen teilen und die erste Schicht auf die Zwiebeln legen, mit viel Salz abschmecken und die zweite Schicht auftragen. Setzen Sie dann den Deckel auf und reduzieren Sie die Hitze weiter (6 von 9). Alles gut mischen nach ca. 5 Minuten und ca. 30 Minuten. Die Garzeit hängt davon ab, wie fest das Gemüse sein soll.

Für mich ist dies eine komplette Mahlzeit, als Beilage war es gut für 4 Personen. GATers können Kartoffeln hinzufügen.

BUCKWHEAT MIT PILZEN UND PFEFFERN

Portionen: 2

ZUTATEN

- 1 Tasse   Buchweizen, ca. 200 ml
- 2 ½ Tasse / n Wasser, kalt
- 1 EL   Gemüsebrühe
- 500 g Pilze
- 2 groß Rote Paprika)
- 1 EL   Kräuterbutter
- 1 Teelöffel, gehäuft Petersilie, frisch oder gefroren
- 3 EL   Pflanzenöl

VORBEREITUNG

Den Buchweizen ca. 25-30 Minuten mit Wasser kochen.

In der Zwischenzeit die Pilze und Paprika putzen. Die Pilze halbieren und die Paprika in Streifen schneiden. Das Pflanzenöl in die Pfanne geben und erhitzen. Fügen Sie das Gemüse hinzu und braten Sie es.

Sobald der Buchweizen fertig ist, abtropfen lassen und die Kräuterbutter untermischen. Ordnen und servieren Sie beide zusammen.

FAZIT

Viel frisches Obst und Gemüse, Sojaprodukte und ein paar Nüsse - aber kein Alkohol und Kaffee, kaum Fleisch, wenig industriell verarbeitete Produkte und nur selten Zucker und Weißmehl: Die empfohlenen alkalischen Lebensmittel in dieser Diät entsprechen weitgehend den Empfehlungen für eine allgemein gesunde Ernährung passen. 20 Prozent der täglichen Lebensmittel können jedoch auch aus sauren Lebensmitteln bestehen. Einige Klassifizierungen scheinen nicht immer logisch zu sein: Zum Beispiel gelten Zitronen als alkalisch, Kichererbsen, Walnüsse und Tee sind sauer. Mit Spinat wird es kompliziert: roh ist er alkalisch, gekocht, aber sauer.

Hier finden Sie eine kurze Übersicht über alkalische Delikatessen und saure Verbote während der alkalischen Ernährung.

DIESE SIND TEIL DER ALKALINISCHEN ERNÄHRUNG, EINSCHLIESSLICH:

Süßkartoffel

Mandeln

Oliven

Wildreis

Grünkohl

Brokkoli

Stilles Wasser

DIE FOLGENDEN SIND TABOO IN DER
ALKALINISCHEN ERNÄHRUNG:

Kaffee

Cola

Schweinefleisch und Rindfleisch

Fastfood

Pasta

weißer Zucker

Es gibt keine wissenschaftlichen Untersuchungen, die
belegen, dass eine vorwiegend alkalische Ernährung
Krankheiten vorbeugen kann. Da die
Ernährungsempfehlungen der alkalischen Diät jedoch
weitgehend gesund sind, hindert Sie nichts daran, die
alkalische Diät auszuprobieren. Sie sollten jedoch
darauf achten, genügend ungesättigte Fettsäuren und
Proteine zu sich zu nehmen. (Bor)